P9-CFG-543

# 紫禁城

李夏 张权 编著

中国民族摄影艺术出版社

# 前 言

紫禁城现名故宫博物院，位于北京城中心，是明、清两朝的皇宫，始建于明永乐四年(1406年)，建成于明永乐十八年(1420年)，至今约有600年历史，先后有24位皇帝在这里统治全国近500年。

紫禁城宫殿巍峨，楼阁重重，白玉雕栏，红墙黄瓦，金碧辉煌。这座金光熠熠的"宫殿之海"，占地72万平方米，建筑面积15万平方米，有各式宫殿890座，房屋9千多间。紫禁城四周建有高10米，长3428米的宫墙，方形宫墙四角，各建有一座结构精巧，美观独特的角楼。宫墙四面各开一门，南为午门，北为神武门，东名东华门，西名西华门。宫墙之外环绕护城河，河宽52米，长3800米。真可谓金城汤池，护卫森严。

建筑富丽堂皇的紫禁城内，既有雄伟的大殿和开阔的广场，又有华丽的后宫，和深邃的幽径，及机密的议政处所，还有帝王后妃休息娱乐的御花园。紫禁城分为前朝和内廷两大部份，前朝以太和、中和、保和三大殿为主体，文华、武英两殿为两翼，是举行大典、朝贺、筵宴行使权力的地方。内廷以乾清宫、交泰殿和坤宁宫为主体，是皇帝的寝宫和处理日常政务的地方。坤宁宫以北是御花园，园中苍松翠柏，奇花异石，楼阁亭台，曲池水榭，如天然画卷，是帝后皇属游玩歇憩场所。

后三殿东西两侧各开有4门，分别通向东西六宫，皇帝及后妃皇属生活居住的地方。永寿宫、太极殿、翊坤宫、长春宫、储秀宫、咸福宫为西六宫；景仁宫、承乾宫、钟粹宫、延禧宫、永和宫、景阳宫为东六宫。每一座宫都是由两进的三合院格局组成，有举行接见仪式的前殿、寝宫及配殿。西六宫之南的养心殿，是皇帝在这里居住和处理日常政务之所。东六宫之南，有皇帝斋戒时居住的斋宫。东西六宫后面的宫室,是皇子居处。西六宫之西有慈宁宫、寿康宫，是太后、太妃的居处；东六宫之东有皇极殿、宁寿宫，是清朝乾隆皇帝做太上皇时，修建的一组宫殿。

新中国成立以来，紫禁城得到了良好的维护。它是我国现存的最宏大的古建筑群，也是世界上现存最大、最完整的宫殿建筑群。1961年，紫禁城列为全国重点文物保护单位。1987年联合国教科文组织将紫禁城列入"世界遗产清单"。古老而又焕发朝晖的紫禁城，闪耀着中华民族悠久历史和灿烂文化的绚丽光彩，已经成为世界全人类的文化遗产。

紫禁城以宏伟壮丽闻名于世，更为广大中外游人所景仰。今特遴选百幅摄影佳作，编辑成册，意在展现紫禁城的精华：辉煌而壮丽的古代皇宫建筑；豪华堂皇的古代皇帝宫廷景物；丰富而精美的绝世文物珍宝……使它成为可供欣赏和收藏的艺术画册，也可作为游览紫禁城的简明向导和永藏记忆的珍贵纪念品。

# FOREWORD

The Forbidden City, which is called the Palace Museum now, occupies the central part of Beijing municipality and was the imperial palace of Ming and Qing dynasties. Its construction began in 1406, so it has a history of nearly 600 years. Over the years after its completion, 24 emperors ruled the whole country from here for nearly 500 years.

With many halls and pavilions, marble railings and steps, red walls and yellow tiles, the Forbidden City looks resplendent and magnificent. It occupies an area of over 720,000 square meters with 9,000 bays of halls and rooms. The construction area amounts to about 150,000 square meters and the surrounding walls are 10 meters high and 3,428 meters long with 4 splendid corner towers standing separately at four corners of the city. A moat, which is 52 meters wide and 3,800 meters long, surrounds outside the walls. Thus the city was made a strongly fortified castle.

In the Forbidden City, there are magnificent rear halls, quiet pathways, secret places where important matters were discussed and an Imperial Garden for the emperor and his family as well as imposing halls and open squares. The Forbidden City is divided into two parts: the outer court and.the inner court. The former is the place where emperors handled court affairs and held different ceremonies. It consists of Taihe, Zhonghe and Baohe Halls, and to either sides in front of these halls the Wenhua Hall and Wuying Hall are on east and west respectively. The inner court consists of Qianqing, Jiaotai and Kunning Halls where the emperor lived and handled day-to-day work. The Imperial Garden lies north of the Kunning Hall where green pines, exotic flowers and rare stones, pavilions and two-storeyed houses, ponds and waterside pavilions look like a natural picture.

There are four gates at both east and west side of the three rear halls, leading to the west and east halls, namely the western six halls are Yongshou Hall, Taiji Hall, Yikun Hall, Changchun Hall, Chuxiu hall and Xianfu Hall and the eastern six halls are Jingren Hall, Chenqian Hall, Zhongcui Hall, Yanxi Hall, Yonghe Hall and Jingyang Hall.Each of these halls has two courtyards, the front hall being used for the emperor to receive his guests. Beside the front hall, there are one bedroom and one side hall. The Yangxin Hall to the south of the western six halls is the place where the emperor lived and handled his day-to-day work. To the south of the eastern six halls, there is the fasting hall.Behind the eastern and western six halls, there are the living quarters of the princes. The Cining Hall and the Shoukang Hall are to the west of the western six halls, and they are the places where the queen and concubines of the late emperor lived.To the east of the eastern six halls, there are the Huangji Hall and Ningshou Hall where Emperor Qianlong lived after he let his son become the emperor.

The Forbidden City has been well preserved since the founding of the People's Republic. It is the most magnificent ancient architectural complex we have in our country, and the biggest and most intact architectural complex of palaces in the world. The Forbidden City became one of the key units for preservation of cultural relics in 1961. In 1987, UNESCO included the Forbidden City in the List of World Heritages. The ancient Forbidden City has radiated the vigour of its youth and become the cultural heritage of mankind.

The magnificent Forbidden City attracts tremendous amounts of visitors from home and abroad. Now we have selected 100 photoes here to show you the best aspects of the city: the majestic and magnificent buildings, the luxurious scenes of the royal palace and the rich and beautiful relics and treasures. It is intended to make this book an artistic picture album for appreciation and keepsake as well as a guidebook and souvenir.

# ま　え　が　き

紫禁城は北京の中心部に位置し，明清両朝の皇宮で，1406 年に建てられ，すでに約六百年の歴史をもっており，合せて二十四人の皇帝がここから500年近くも中国全土を支配した。

紫禁城には宮殿と楼閣が幾重にも重なり合い，それに白石の彫刻された欄干，赤い壁と黄色いれんが，輪奐の美の至りを尽した。この敷地 72 万平方メートルに及ぶ莫大な古代建築群には，建築面積 15 万平方メートル，構造多様な殿堂 890 棟，部屋 9 千余間もある。周りに高さ10メートル，長さ3428メートルの城壁で囲まれ，その四つの隅に精美なやぐらが築かれていた。外は幅 52メートル，長さ3800メートルの護城河である。厳重たる古代宮城に外ならない。

建築に光り輝く紫禁城には雄大な殿堂と広々てした広場もあれば，美しい後宮と静かな小道，機密な国事を論議する場所もあり，また皇帝皇后ら皇室の休息·娯楽の御苑もある。紫禁城は前朝(朝廷の外側)と内廷(朝廷の内側)の二つの部分に分かれている。前朝は太和殿·中和殿·保和殿の三大殿が主体で，文華殿と武英殿がその両翼をなし，皇帝が権力を行使する中心で，式典，大臣の接見，宴会など皆ここでおこなわれた。内廷は乾清宮·交泰殿·坤寧宮がその主体をなし，皇帝の寝宮と政務を処理する場所である。坤寧宮の北は御苑で，青い松柏と美しい花，楼閣とあずまや，それに池など，自然の雰囲気にあふれている。

内廷の三宮の両側は嬪妃と皇室の住所即ち東六宮と西六宮であり，いずれの宮も二つの庭をもち，客を接待する前殿と休息の場である後殿及び両わきの部屋からなっている。西六宮の南にある養心殿は皇帝の住居で日常政務を処理するところであり，東六宮の南には皇帝が斎戒する時に住む斎宮がある。東西六宮の裏にある宮室は皇子皇女らの住所である。西六宮の西の宮殿は皇太后と皇太妃の寝宮であり，東六宮の東に乾隆帝が太上皇になってから建てた一組の宮殿がある。

新中国成立してから紫禁城は非常によく保護されており，現存する中国のもっとも大きい古代建築群であり，世界でも一番完備している宮殿建築群である。1961 年に中国の重点文物保護単位に列せられ，1987 年にユネスコ(国連教育科学文化機関)も紫禁城を「世界文化遺産リスト」に加えた。古くで美しく輝く紫禁城は今や世界の文化遺産となった。

ここに優秀な写真を百枚選んで冊に編集して，紫禁城の精髄即ち輪奐の美に輝く建築，帝王の豪華を具現した宮廷景物及び精美な文物や宝物を展出することにある。鑑賞と収蔵にあたいする芸術画集にもなれるし，観光のガイドと貴重な記念にもなれるであらう。

# INTRODUCTION

La Cité interdite qu'on appelle aussi "Musée du Palais impérial" se trouve juste au centre de la ville de Beijing. Ses immenses travaux de construction furent commencés en 1406. Elle abritait les appartements et les gouvernements de Ming et de Qing. Depuis sa construction il y avait à peu près 600 ans,24 empereurs y logèrent et régnerent sur tout l'Empire pendant prèsque 500 ans.

La Cité couvre une superficie de 72 ha, dont la surface d'édifice 150 mille mètres carrés,les palais et les salles se disposent en groupe, les tours et les pavillons se dressent ca et là, avec ses balustrades en marbre blanc,des murs pourpres et des tuiles jaunes vernissées,tout est multicolore et majestueux. La Cité interdite est entourée d'une muraille de 10 m. de haut sur 3428 m. de long,un pavillon à style original se dresse à chacun de ses quatre angles. Des douves de 52 mètres de large sur 3800 mètres de long protègent la Cité. Elle compte 890 palais à forme diverse,plus de 9 mille pièces. C'est un château impérial,majestueux et imposant de la Chine antique.

La Cité interdite possède à la fois les palais imposants,les places immenses, les cours profondes,les allées calmes,les endroits impénétrables pour les secrets d'Etat, et un Jardin impérial amenagé pour la distraction et les promenades de la famille impériale. La Cité se compose de deux parties: La Cour extérieure et la Cour intérieure. La Cour extérieure comprend trois palais principaux: le Palais de l'Harmonie suprême,le Palais de l'Harmonie parfaite et le Palais de l'Harmonie préservée, à cela s'ajoutent, à deux ailes, le Palais de la Culture (Wen Hua Dian) et le Palais des Prouesses militaires (Wu Ying Dian). C'est dans la Cour extérieure que se déroulaient les grandes cérémonies,les audiences et les banquets les plus solenneles. Le Palais de la Pureté céleste, le Palais de l' Union et le Palais de la Tranquilité terrestre sont les bâtiments les plus importants composant la Cour intérieure. Il y avait les chambres à coucher et les cabinets de travail pour les empereurs. Au nord du Palais de la Tranquilité terrestre,se situe le Jardin impérial. Dans ce jardin à la dimension modeste,les pavillons et les kiosques entourés des arbres et des rochers,les fleurs au bord des fontaines limpides, un vrai paysage dans un tableau de tradition chinoise.

A deux côtés des Trois Palais de derrière, s'alignent les Six Palais de l'est et les Six Palais de l'ouest, disposés trois par trois de part et d' autre d' une allée centrale, comprenant les sallons de réception, les chambres à coucher et les salles latérales. Au sud des Six Palais de l'ouest, s'élève le Palais de la Nourriture de l'Esprit, où logeaient les empereurs quand ils exerçaient leurs administrations quotidienne. Au sud de Six Palais de l'est se trouve le Palais de l'Abstinence où l'on observait le jeûne pour les cérémonies les plus importantes. Les princes vivaient dans les palais derrière les Six Palais de l'est et de l'ouest. Les impératrices et les concubines douairières habitaient les palais à l'ouest de Six Palais de l' ouest. A l'est de Six Palais de l'est, était construit un ensemble de palais pour l' Empereur Qian Long, quand il était en père de l'empereur.

Depuis la fondation de la Chine Nouvelle, la Cité intedite est soumise aux maintiens réguliers. Elle est le groupe de construction le plus immense et le mieux conservé en Chine ainsi que dans le monde entier. En 1961, elle est arrangée parmi les monuments historiques les plus importants de notre pays.UNESCO l'a classée, en 1987, dans la liste des héritages culturels du monde. Notre Cité interdite, ancienne et rayonnante de jeunesse, est devenue le trésor culturel des peuples du monde entier.

La Cité interdite attire l'attention des Chinois comme des touristes étrangers. Dans cet album, nous avons sélectionné cent photos, élites de nos oeuvres, dans le but d'exposer la quintessence de cette Cité: Les architectures majestueuses, les spectacles luxueux dans les palais, les trésors culturels. Cet album admirable est à la fois un bon souvenir et un guide pendant la visite de la Cité pourpre interdite.

**紫禁城全景**　紫禁城5重大门和层层大殿贯通在北京城中轴线上，左是太庙，右有社稷坛。紫禁城北是万岁山，又称景山，西面是中南海，西北是北海（原名太液池），中有白塔高耸的琼华岛

**紫禁城の全景**　紫禁城は前後五重の門と幾重の殿堂が北京城の中軸線上にある。

Full view of the Forbidden City

**Vue d'ensemble de la Cité pourpre interdite**

Panorama der Zijincheng

人民共和国万岁
世界人民大团结万岁

# Vorwort

Die Zijincheng befindet sich im Zentrum der Stadt Beijing, sie heißt herte Palastmuseum; sie wurde vor mehr als 600 Jahre, im Jahre 1406 erbaut und diente in den ca. 500 Jahre 24 Kaisern als Residenz.

Die Zijincheng zeichnet sich durch die herrlichen Paläste, die hintereinander stehenden Pavillons, die geschnitzten Mamorbalustraden, die rote Mauer sowie die glasierten Dachziegel aus und ist voller Glanz und Pracht. Der gesamte Baukomplex hat eine Gesamtfläche von 720 000 $m^2$ und eine Baufläche von 150 000 $m^2$ .Auf dem Gelände des Kaiserplastes befinden sich 890 Paläste und mehr als 9 000 Räume. Die Mauern der Verbotenen Stadt sind 10 m hoch und 3 428 m lang. An den vier Mauerecken steht jeweils ein Eckturm. Der Kaiserpalast ist innerhalb der Mauer von einem 52 m breiten und 3 800 m langen Wallgraben umgeben. Das ist, sozusagen, eine stark befestigte kaiserliche Burg.

Auf dem Gelände des herrlichen und prächtigen Kaiserpalastes befinden sich sowohl die imposanten Audienzhallen und die breiten Paläste, als auch die majestätischen Wohngemächer der Kaiserin und der kaiserlichen Konkubinen sowie die tiefen und stillen Gänge , die Hallen, wo der Kaiser mit seinen Ministern die laufenden Staatsgeschäfte erledigte, sowie der Kaiserliche Garten, wo sich der Kaiser, die Kaiserin und die kaiserlichen Konkubinen ausruhten und amüsierten. Der Palast ist in zwei Teile untergliedert: Waichao(der Außenhof) und Neiting(die Innere Gemächer). Die Hauptwerke von dem Außenhof sind die Taihedian(Halle der Höchsten Harmonie), die Zhonghedian(Halle der Vollkommenen Harmonie) und die Baohedian(Halle zur Erhaltung der Harmonie). An den beiden Seiten des Außenhofs stehen die Wenhuadian(Halle der Literarischen Blüte) und die Wuyingdian (Halle der Militärischen Tapferkeit). Von hier aus übte der Kaiser seine Macht aus und erledigte die laufenden Staatsangelegenheiten. Viele wichtige Zeremonien fanden hier statt, wie etwa die Zeremonien anläßlich einer Thronbesteigung, die Audienzen für die Minister sowie die Feiern an verschiedenen Festtagen. Mit den Drei Hinteren Palästen(auch Neiting genannt), wo der Kaiser wohnte und die laufenden Staatsgeschäfte erledigte, sind der Qianqinggong (Palast der Himmlischen Reinheit), die Jiaotaidian(Halle der Berührung von Himmel und Erde)und der Kunninggong(Palast der Irdischen Ruhe) gemeint. Nördlich von dem Kunninggong ist der Kaiserliche Garten, wo die grünen Kiefern und Zypressen, die exotischen Blumen und die seltenen Steine, Pavillons und Pagoden, die gewundenen Teiche und die prächtigen Wasserpavillons zu sehen sind. Es ist so schön wie eine natürliche Malerei.

An den beiden Seiten der Drei Hinteren Paläste sind die Wohngemächer der Kaiserin und Konkubinen, auch die Östlichen und Westlichen Sechs Paläste genannt. Jeder Palast besteht aus dem Vorhof und Hinterhof sowie der Vorhalle, wo Zeremonien stattfanden, den Wohngemächern und Nebenhallen.

Westlich von den Westlichen Sechs Palästen ist die Yangxindian(Halle zur Bildung der Gefühle), wo der Kaiser wohnte und die laufenden Staatsangelegenheiten erledigte. Südlich von den Östlichen Sechs Palästen ist der Fastenpalast, wo der Kaiser die Fasttage verbrachte. Hinten der Östlichen und Westlichen Sechs Palästen befinden sich die Wohngemächer der Prinzen. Westlich von den Westlichen Sechs Palästen sind die Wohngemächer der Kaiserin und Konkubinen. Östlich von den Östlichen Sechs Palästen ist ein Palast, der in der Zeit, wo der Kaiser Qianlong oberster Gebieter war, errichtet wurde.

Nach der Gründung des Neuen China ist die Zijincheng sehr gut geschützt und erhalten. Sie ist sowohl ein in unserem Land erhaltengebliebener prächtigster Baukomplex, als auch einer der größten vollkommensten Baukomplexe auf der Welt. Im Jahre 1961 wurde die Zijincheng zu den Orten des Schwerpunktschutzes der nationalen Kulturgegenstände erklärt. Im Jahre 1987 wurde sie von der Organisation der Vereinigten Nationen für Erziehung, Wissenschaft und Kultur auf die "Liste des Weltkulturerbs"gestellt. Von da an ist die alte und voller Vitalität steckende Zijincheng zum kulturellen Erbe der Menschheit auf der ganzen Welt geworden.

Die prächtige Zijincheng fasziniert die chinesischen wie ausländischen Besucher. Daher haben wir ca. 100 vortreff liche Photographien ausgewählt und in Buchform zusammengestellt, um die Elite der Zijincheng, den prächtigen und herrlichen Baukomplex, die majestätischen Paläste des emaligen Kaisers, die wertvollen Kulturgegenstände zur Schau zu stellen. Dieser Bildband ist nicht nur des Genießens und des Sammelns, sondern auch der Reiseführung und der Erinnerung der Besichtigung der Zijincheng wert.

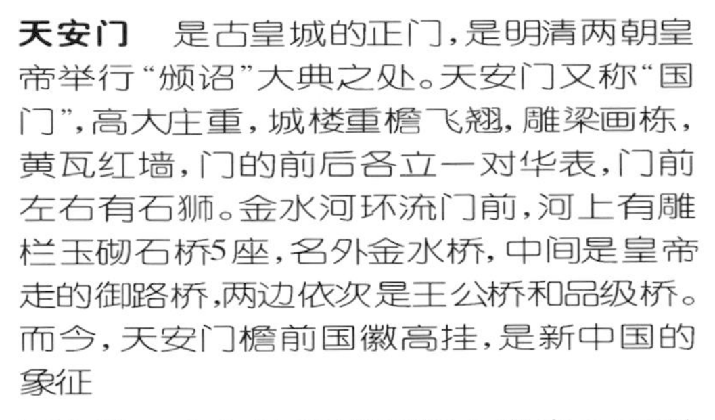
**天安门**　是古皇城的正门，是明清两朝皇帝举行"颁诏"大典之处。天安门又称"国门"，高大庄重，城楼重檐飞翘，雕梁画栋，黄瓦红墙，门的前后各立一对华表，门前左右有石狮。金水河环流门前，河上有雕栏玉砌石桥5座，名外金水桥，中间是皇帝走的御路桥，两边依次是王公桥和品级桥。而今，天安门檐前国徽高挂，是新中国的象征

**天安門**　もとは明清両朝の皇宮の正門で，朝廷がここで詔書を公布する儀式を挙げることになっていた。赤の城壁の上に二重軒の楼閣が彩色を施し，雄大壮麗の至りを尽した。今は新中国の象徴とされている。

Tian An Men (The Gate of Heavenly peace)

It is the main entrance of the imperial city in both Ming and Qing dynasties, where the emperor promulgated his edict. Tian An Men is tall and solemn and its rostrum looks majestic with its upturned eaves, carved beams and painted rafters, and yellow tiles and red walls. It is now the symbol of new China.

**La Porte de la Paix Céleste était, sous les Ming et les Qing, la porte principale de la Cité impériale, où se déroulait la grande cérémonie de promulgation des décrets impériaux. La Porte de la Paix céleste, majestueuse et solennelle est le symbole de la Chine Nouvelle.**

Das Tiananmen, ein Haupttor der Kaiserstadt während der Ming- und Qing-Dynastie, eine Stelle, wo Zeremonien anläßlich einer Erteilung kaiserlicher Erlässe veranstaltet wurden, ist voller Glanz und Pracht und ein Symbol des Neuen China.

**午门和护城河俯瞰**　午门是紫禁城的正门，8米高的城台上建有5座重檐崇楼，巍峨壮观。大将出征、凯旋、献俘、颁布历书等均在午门前举行庄严的仪式

**俯瞰する午門と護城河**　午門は紫禁城の正門で，高さ8メートルの城壁に五棟の楼閣が築かれていて極めて壮観である。もとは將軍の出征と凱旋や暦書等を公布する式典を挙げるところであった。

Looking down at The Meridian Gate and the city moat　The Meridian Gate is the main entrance of the Forbidden City. There are 5 high towers with double eaves on it, very lofty and magnificent. During the Ming and Qing dynasties, a ceremony would be held here whenever generals were sent on an expedition, the army returned in triumph, or prisoners of war were presented, or almanac was issued.

**Vue d'ensemble de la Porte du Méridien et les douves. La Porte du Méridien est la première et la principale porte du Palais impérial. L'édifice à 8 m. de haut est surmonté de cinq pavillons aux doubles corniches. Cette porte à l'allure austère,fut le témoin de nombreuses cérémonies: le départ de l'armée, le retour triomphal,l'offre des prisonniers, la promulgation d'un nouveau calendrier avaient lieu devant cette porte.**

Blick hinab auf das Wumen(Mittagstor) , das erste Eingangstor zum Kaiserpalast. Auf der 8 m hohen Terrasse stehen 5 Pavillons mit dem Doppelwalmdach und zweifacher Regentraufe. Hier fanden Zeremonien zum Feld- und Triumphzug der Generäle, zur Überreichung der Kriegsgefangenen, zur Erteilung des Kalenders usw. statt.

**内金水河**　位于午门后太和门广场，白玉石雕栏形如玉带的河道上，建5座单孔白玉雕栏石桥，称内金水桥

**内金水河**　午門の裏側，太和門広場にあり，白石で築かれた河床に五つの石橋がある。

Inner Golden Water River　In the Tai he Gate square behind the Meridian Gate, it flows eastward between white marble-carved railings like a winding jade belt. Five marble bridges with single openings and carved railings span the river.

**La Rivière aux eaux d'or qu' enjambent cing ponts de marbre, la rivière qui est bordée des balustrades en marbre blanc, délicatement sculpté.**

Das Neijinshuihe (Das Innere Goldwasser) liegt im rechteckigen Hof vor der Halle der Höchsten Harmonie hinter dem Mittagstor. An den beiden seien sind das geschnitzte Schutzgeländer aus Mamor, Über das Goldwasser spannen sich 5 Brücken mit einem Bogen aus Mamor.

**太和殿露台上的铜龟　铜鹤　嘉量**（古代量具）

太和殿の露台に並べている銅亀·銅鶴·嘉量(古代計器)

The bronze tortoise, bronze cranze and a measuring tool on the platform before the Tai he Hall.

**La tortue en bronze, la grue en bronze et le mesure à grain exposés sur la terrasse du Palais de l'Harmonie suprême.**

Zwei Bronzeschildkröten, zwei Bronzekraniche, eln Jlallang-Hohlmaß vor der Halle der Höchsten Harmonie.

**太和殿**　俗称金銮殿，广11间，深5间，共55间，通高37米，有72根殿柱，殿檐柱高12.7米，直径1.06米，总面积2377平方米，坐落在巨大的雕饰精美的三层汉白玉石台基上，是我国现存最大、最宏伟的木结构殿宇

**太和殿**　俗に金鑾殿と呼ばれ，精巧に飾られた三階立ての巨大な白石基盤に築かれ，殿堂の高さ37メートル，部屋 55 間，面積 2377 平方メートルもあり，現存する中国一の木造殿堂である。

Tai he Hall (the Emperor's audience hall)

It is built on three groups of huge and beautifully carved marble terraces. The hall is 37 meters high and has 55 rooms,the total area being 2, 377 square meters. It is the largest palace of wood structure extant in China

**Le Palais de l'Harmonie suprême, s'élève sur une immense terrasse à trois paliers, en marbre blanc sculpté. Le palais a 37 mètres de haut,55 pièces et 2377 mètres carrés de surface, C'est le plus grand édifice en bois de toute la Chine.**

Die Taihedian (Halle der Höchsten Harmonie), auch Jinluandian (Goldener Thronsaal) genannt, steht auf der dreischichtigen, fein geschnitzten Terrasse aus Mamor, und ist der größte Holzbau aus China. Dieses Bauwerk ist 37 m hoch, hat 55 Räume und eine Baufläche von 2 377 m².

**清朝康熙皇帝朝服像**

朝服着用の清の康熙帝

A portrait of Emperor Kangxi in court costumes

**L'empereur Kang Xi de Qing, en costume souverain.**

Das Porträt des Kaisers Kangxi im Hofkleid der Qing-Dynastie

**太和殿内景** 明、清两朝有24位皇帝曾在这里登极。是皇帝颁布诏书、册立皇后、举行大典的地方。殿中有6根蟠龙金柱，屋顶正中盘龙金凤藻井，倒垂着圆球轩辕宝镜。中央平台上有明代制作的皇帝金龙宝座、金屏风，左右有宝象、甪端仙鹤、香筒等陈设，示意明君当朝五谷丰登，天下太平

**太和殿** 皇帝の即位と詔書公布等の儀式を挙げる場所である。殿内には金箔付の竜のわたがまれた柱6本，屋根の中央に竜と鳳凰の飾りをした天井，それに珠状の軒轅鏡が吊り下げている。床の中央に明朝造りの金竜玉座と金屏風があり，両側に象·神獣·鶴·香炉などの飾りが並べてある。

Tai he Hall It is the place where the emperor was enthroned, promulgated his edict or held important ceremonies. There are six golden pillars with dragons coiling round them. At the centre of the ceiling there are the caisson with dragon and phoenix pattern and a ball-shaped mirror under it. On the central platform is the Ming-dynasty-made throne carved with gold-painted dragon and a golden screen behind it. On the left and right are the elephant,crane,etc.

**_e Palais de l'Harmonie sup-rême.C'est là que l'empereur siègeait et que se tenaient les cérémonies d'intronisation, ou de célébration de certaines fêtes. Les six colonnes sont dorées et ornées de motifs en forme de dragon. Le plafond est orné de caisson à motif de dragon et de phénix, un miroir à forme de balle est suspendu au milieu. Le trône décoré des dragons en or se trouve sur une estrade. Un paravent finement sculpté est disposé derrière le trône, entouré de deux grues en bronze, deux éléphants, des vases, de splendides brûle-parfums et d'un animal imaginaire, symbolise du bonheur.**

Die Taihedian(Halle der Höchsten Harmonie), wo Zeremonien anläßlich einer Thronbesteigung,einer Erteilung der kaiserlichen Erlässe usw. stattfanden. In der Mitte der Halle gibt es sechs von vergoldenen Drachen umwundene Säulen. Das Drachen-Pult und der Thronsessel sind mit geschnitzten Drachen - und Wolkenmustern stilisiert. über dem Thron befindet sich eine feine kostvoll gearbeitete Deckendekoration mit gewundenen Drachen. Hinter dem Thron steht ein ein geschnitzter Wandschirm, davor und seitlich davon befinden sich Kraniche, Weihrauchgefäße und Dreifüße.

**清朝孝惠章皇后朝服像**

朝服着用の清の孝章皇后

A portrait of Queen Xiaohui Zhang in court costumes

**L' Impératrice Xiao Rui Zhang de Qing, en costume d'empératrice.**

Das Porträt der Kaiserin Xiao huizhang im Hofkleid der Qing-Dynastie.

**皇帝宝座** 明朝制作，金漆九龙，座后是雕龙髹金屏风

**皇帝の玉座** 明朝の造りで，九匹の金ぱく付竜で飾ってあり，その後ろに竜を彫刻した金ぱく付屏風がある。

The throne of the emperor It was made in Ming dynasty, gold painted and with dragons on it. Behind it is a gold-plated screen.

**Le trône de l'empereur, fabriqué sous la dynastie de Ming, laqué d'or et sculpté de neuf dragons, derrière le trône, un paravent à motif des dragons d'or.**

Der Thronsessel mit vergoldenen Drachen aus der Ming-Zeit, dahinter steht ein fein geschnitzter Wandschirm.

**太和门广场** 太和门是外朝三大殿的正门，也是紫禁城内等级最高的门。是明朝王公大臣"御门听政"之处。广场上玉带河上，雕栏玉砌五座内金水桥，与金碧辉煌的太和门交相辉映

**太和門広場** 白石の彫刻された五つの内金水橋が輪奐の美に輝く太和門と輝き映えている。

The Tai he Gate Square The Inner Golden Water River with white marble carved railings adds radiance and beauty to the resplendent and magnificent Tai he Gate.

**La Place de la Porte de l'Harmonie suprême. Cinq ponts en marbre finement sculpté, enjambent sur la Rivière aux eaux d'or.**

Der rechteckige Hof vor der Halle der Höchsten Harmonie und die Neijinshuiqiao(die Innere Goldwasser Brücke) aus Mamor. Ihr Glanz und die Herrlichkeit des Hofs der Höchsten Harmonie übertreffen sich in ihren Leuchten.

**太和门青铜狮** 左雄右雌，铸造精美，形态威武，宏伟高大，可谓狮中之魁，显示着威严和豪华

**太和門にある銅獅子** 左が雄で右が雌，威風堂々たる形態は壮厳と豪華をあらわしている。

Bronze lions The male is on the left and the female on the right, full of power and grandeur showing dignity and luxury.

**Deux lions en bronze de la Porte de l'Harmonie suprême, le mâle est à gauche;la femelle à droite, symbolisent la puissance et la majesté.**

Zwei Bronzelöwen vor dem Tor der Höchsten Harmonie, die die allerhöchste Macht und Autorität versinnbildlichten, links: männlich, rechts: weiblich.

**中和殿和保和殿**　高踞于雕栏玉阶、三层丹陛之上

**中和殿と保和殿**　白石の欄干に囲まれた三階の基盤に築かれている。

Zhonghe and Baohe Halls on three groups of steps with carved railings

**Le Palais de l'Harmonie parfaite et le Palais de l'Harmonie préservée se dressent sur une estrade en marbre sculpté,à trois paliers.**

Die Zhonghedian (Halle der Voll-kommenen Harmonie )und Bao-hedian(Halle zur Erhaltung der Harmonie) stehen auf der Terrasse mit drei Absätzen und dem geschnitzten Geländer aus weißem Mamor.

**紫禁城前朝三大殿鸟瞰** 前朝三大殿屹立在庞大的“工”字形台基上。台基高8.13米，3层，每层都绕以汉白玉栏杆，雕饰精美华丽

**鳥瞰する前朝の三大殿** 三大殿は工字形の基盤に建てられている。

Looking down at the three great halls of the outer court

**Vue d'ensemble des trois Palais de la Cour extérieure.**

Blick hinab auf die Drei Großen Hallen im Außenhof.

**中和殿**　黄琉璃瓦方形殿宇，四角攒尖鎏金宝顶。殿内设宝座，皇帝去太和殿前在此小憩，接受内阁、礼部及执事人员朝拜，或在此阅览奏章和祝辞

**中和殿**　黄色い琉璃かわらぶきの四角形の殿堂に金のてっぺん。殿堂には玉座が設けてあり，皇帝が太和殿に出る前にここで一休みしたり，内閣と礼部及び官吏の拝謁を受けたり，上奏文を閲覧したりしていたところ。

Zhonghe Hall　A square hall with yellow glazed tiles going up to the middle and ended with a gilded ball. There is a throne in the hall, and the emperor would take a rest before going to the Taihe Hall to receive his cabinet, minister of rites and other officers, or to read memorials and congratulations

**Le Palais de l'Harmonie parfaite, un bâtiment rectangulaire, à quatre corniches pointues et une tour dorée.**

Die Zhonghedian (Halle der Vollkommenen Harmonie) ist eine quatratische Halle mit gelb glasierten Ziegeln und goldlackiertem Dach. Darin gibt es einen Thron-Sessel, wo der Kaiser sich ausruhte, bevor er sich in die Halle der Höchsten Harmonie begab, um Beamten und Generälen. Audienzen zu geben, oder Thronberichte las und Glückwunschadressen gab.

**乾清宫**　明朝和清初为皇帝寝宫，后为皇帝处理政务、赐宴、引见官员、接见外国使臣和停放梓宫的地方

**乾清宮**　明朝は皇帝の寝宮であるが，清朝は皇帝が政務を処理したり，官吏と外国使節を接見したりしていたところであった。

Qianqing Hall　It was the bedroom of the emperor in the Ming dynasty and it became a place for the emperor to handle his political affairs, receive his officials and foreign envoys to China in the Qing dynasty

**Le Palais de la Pureté céleste, servait de chambre à coucher sous les Ming, et de cabinet de travail ou de salle d'audience sous les Qing.**

Der Qianqinggong (Palast der Himmlischen Reinheit), der in der Ming-Zeit als Raum diente, wo der Kaiser die laufenden Staatsgeschäfte erledigte und seine Minister und Generäle sowie die ausländischen Gesandten empfing.

**乾清门广场**　乾清门是内廷的正门，门两侧有八字形琉璃影壁、金狮、金缸相对排列，铜路灯点缀其间，呈现富丽豪华气派，是清朝“御门听政”之处。进门是“三宫六院”，为皇帝处理日常政务和帝后妃嫔等日常生活的地方

**乾清門広場**　内廷にある後三宮の正門で，中は「三宮六院」で，皇帝が日常政務の処理や皇帝皇后及び嬪妃らが日常生活を送る場所である。

Qianqing Gate Square　Qianqing Gate is the main entrance to the three rear halls of the inner court behind which is the place where the emperor handled his day-to-day work and the emperor lived with his queen and concubines.

**La place de la Porte de la Pureté céleste. C'est la porte principale de la Cour intérieure. Dans La Cour interieure, l'empereur administrait les affaires d'Etat, et vivaient l'impératrice et les concubines.**

Der Qianqingmen (Tor der Himmlischen Reinheit)-Platz. Das Tor der Himmlischen Reinheit ist ein Eingangstor zu den "Drei Hinteren Palästen", wo der Kaiser oft die laufenden Staatsgeschäfte erledigte und die Kaiserin und Konkubinen wohnten und lebeten.

保护雕石

**大自鸣钟**　陈列于交泰殿内，清嘉庆三年（1798年）清宫造办处制造，钟为楼型木柜，饰刻缠枝莲花，髤黑描金，风格古朴。今仍可上弦走动，按时数鸣钟报时，声音宏亮，深达内宫

**時刻を告げる大型時計**　交泰殿に置かれている清の嘉慶三年（1796年）宮中造りのもので，今でもせんまいを卷けば走らせることができる。

The large chime clock　It is displayed in the Jiaotai Hall. It was produced in 1798 ( the third year of the reign of Jiaqing, Qing dynasty). It is still working now.

**L'horloge à sonnerie, exposée dans le Palais de l'Union, fabriquée en 1798, par l'atelier impérial. Elle marche si l'on la remonte.**

Die Große Schlaguhr, die im Jahre 1798 hergestellt wurde und bis heute funktioniert. Sie wird jetzt in der Jiaotaidian(Halle der Berührung von Himmel und Erde) ausgestellt.

**乾清宫**　重檐庑顶，高24米，面阔9间，深5间，沥粉点金，双龙和玺彩画，是内廷等级最高的建筑

**乾清宮**　後三宮の主な建物で，黄色い屋根と彩色の飾り，極めて壮観である。

Qianqing Hall　It is the principal building in the three rear halls, beautifully decorated and luxurious.

**Le Palais de la Pureté céleste, richement décoré, majestueux et luxueux.**

Der Qianqinggong(Palast der Himmlischen Reinheit) ist ein Hauptbauwerk der Drei Hinteren Paläste und glanzvoll illuminiert.

**太和殿广场** 占地3万多平方米，青砖墁地，中间是石铺御路，宏大宽敞。举行大典时，銮仪卫将伞、盖、旗、瓜、斧、钺、团扇金银器等500多件陈列于此。御道两旁放置铜制品级山72座，文东武西，大臣依宫阶跪于品级山傍，各国使臣亦跪于指定位置。

**太和殿広場** 面積3万余平方メートル，灰色のれんがで敷きつめ，広々としている。大きな式典を挙げる時には，かさ、団扇、旗、斧などを並べ，金銀の調度品を陳列し，文武百官は官位によって白石の階段に立ち並ぶことになっていた。

Tai he Hall Square It occupies an area of more than 30,000 square meters, paved with dark-coloured bricks, very large and spacious. Before grand ceremonies, more than 500 gold and silver articles such as umbrella, coverings, flangs, hatchets, round fan, etc. were displayed here, and civil and military officials stood there according to their ranks.

**La Place du Palais de l'Harmonie suprême, occupe une surface de trente mille mètres carrés, pavée de briques grises, immense et solennelle. Les jours des grandes cérémonies, les gardes d'honneur élèvaient plus de 500 objets rituels, en or ou en argent, comme les parasols, les dais, les bannières, les marteaux, les haches ou les hallebardes, et s'y rassemblaient, chacun selon sa hiérarchie, les mandarins civils et militaires.**

Der rechteckige Hof vor der Halle der Höchsten Harmonie mißt 30 000 m², wird mit Ziegeln bedeckt. Hier wurden Zeremonien und Feiern veranstaltet, bei denen hier mit den Gold-und Silbergeräte wie Schirmen, Balda-chinen, Fahnen, Beilen und Gefäßen usw. dekoriert wurde und die Ehrengarde und alle Zivil-und Mili-tärbeamten in der Rangfolge ihrer Dienstgrade auf der Treppe aus weiß-em Mamor standen und vor dem Kaiser niederknieten.

**铜壶滴漏**　古代计时器，陈列于交泰殿内，清朝乾隆十年(1746年)制造。

**青銅製の水時計**　古代の時計で，交泰殿に置かれている。清の乾隆十年(1746年)に製造したもの。

Copper clepsydra　An ancient timing gauge, displayed in Jiaotai Hall, made in the tenth year of the reign of Qianlong, Qing dynasty(1746).

**La Clepsydre, exposée dans le Palais de l'Union, fabriquée en 1746.**

Die Bronzewasseruhr in der Jiaotaidian ( Halle der Berührung von Himmel und Erde ), die im Jahre 1746 hergestellt wurde.

**金殿**　在乾清宫丹陛两侧，为铜制鎏金，每面有四扇菱花隔扇门，坐落在3层艾青叶石台上。左称江山殿，右称社稷殿，重檐宝顶，上圆下方，寓意天圆地方，江山社稷永固

**金殿**　乾清宮前にある金ぱく付銅の「江山」と「社稷」を象徴する金殿である。

Jindian (The golden Hall)　It is also called Jiangshan Sheji Jindian (the Golden Hall of the land and country).

**Le Palais d'or, devant le Palais de la Pureté céleste, un palais en bronze plaqué d'or, symbolisait le pouvoir d'Etat.**

Die Jindian (Gold-Halle) vor dem Palast der Himmlischen Reinheit, die goldlackiert ist.

**交泰殿** 方形四角攒尖鎏金宝顶殿宇，清朝册封皇后或皇后诞辰等，均在此举行仪式

**交泰殿** 四角いの尖った屋根に金のてっぺんの形をした殿堂で，もとは皇后を冊立したり誕生祝などの儀式を挙げるところであった。

Jiao tai Hall It is a hall with square and sloping pointed roof topped by a goldplated ball. In Qing dynasty, a ceremony would be held here to grant title to the queen or to celebrate her birthday.

**Le Palais de l'Union, un bâtiment rectangulaire, au toit de forme pyramide plaqué d'or. L'empereur conférait dans ce palais le titre de l'impératrice, et célébrait l' anniversaire de l'impératrice.**

Die Jiaotaidian (Halle der Berührung von Himmel und Erde), eine quadratische goldlackierte Halle, wo Zeremonien zur Verleihung des Titels "Kaiserin" oder zum Feier des Geburtstages der Kaiserin usw. staatfanden.

**交泰殿内** 设宝座，存放清朝皇帝的25颗宝玺。每年元旦、千秋节(皇后生日)等节日，皇后在此接受祝贺

**交泰殿の殿内** 玉座が設けられており，清朝の御璽を保存しているところである。

The throne of the emperor in Jiao tai hall

**Le trône impérial dans le Palais de l'Union.**

Der Thronsessel in der Halle der Berührung von Himmel und Erde.

**凤舆** 光绪皇帝大婚时，皇后乘坐的喜轿

**御輿** 光緒帝の新婚に皇后が乘った御輿。

The sedan chair decorated with phoenix

It was the sedan chair used by the queen when Emperor Guangxu got married.

**Le palanquin qu'empruntait l'impératrice le jour de mariage de l'empereur de Guang Xu.**

Die Phönix-Sänfte, die die Kaiserin von Guangxu auf der Hochzeit benutzte.

**《光绪皇帝大婚图》局部**　这是大婚前期，备办礼物准备到皇后家行大礼时，在太和殿前陈列的隆重场面

**光緒帝婚儀図**(部分)　太和殿前に並べた贈り物の盛大な場面。

Emperor Guangxu getting married (a painting): The presents are being displayed before the Taihe Hall.

**《La cérémonie de mariage de l'empereur Guang Xu》.Les cadeaux de mariage sont exposés devant le Palais de l'Harmonie suprême.**

Das Hochzeitsbild, das die herrliche Szene der Geschenkeüberreichung in der Halle der Höchsten Harmonie dastellt.

**清朝光绪皇帝大婚红档**

清の光緒帝の結婚に関する記録書類と名簿など

The red archives of Qing Emperor Guangxu's Wedding

**Le document de mariage de l'empereur Guang Xu.**

Das Dokument der Hochzeit des Kaisers Guangxu der Qing-Zeit.

**坤宁宫大婚洞房中的一对羊角罩喜字灯**

坤寧宮の新婚の部屋にかかった二つの喜の字の灯籠

A pair of lanterns with the character "Xi" (happiness) on it

**Une paire de lanternes au caractère "bonheur", avec cloche en cor.**

Die Palastlampions im Brautgemach innehalb des Palastes der Irdischen Ruhe.

**坤宁宫东暖阁** 为帝后大婚洞房，康熙、同治、光绪三帝，均在此举行婚礼，现仍保留着光绪皇帝大婚时的样子

**坤寧宮の東暖閣** 皇帝皇后の新婚の部屋で，康熙·同治·光緒の三皇帝が皆ここで婚儀を挙げた。

Eastern cabinet of Kunning Hall
It is the bridal chamber of emperors. Emperors Kangxi, Tongzhi and Guangxu had their wedding ceremony here.

**La chambre latérale d'est, chambre nuptiale des empereurs Kang Xi, Tong Zhi, et Guang Xu.**

Das Ost-Gemach innerhalb des Palastes der Irdischen Ruhe, wo die drei Kaiser Kangxi, Tongzhi und Guangxu ihre Hochzeit gefeiert hatten.

**皇帝大婚时用的百子被(局部)** 明黄锦缎彩绣龙凤百子图,婴童百态,象征皇帝"子孙万代"、"多子多福"

**百子掛布団**(部分) 黄色い繻子に百の子が遊び戯れる場面を刺繍してあり,皇帝皇后の新婚に用いた。

100-male-baby curtain (detail)
The multi-coloured 100-male-baby curtain, made with bright yellow brocade, hang at the outer side of the wedlock bed in Kunning Hall.

**Le baldaquin à motif de cent enfants (détail), en brocart jaune clair, brodé à motif de cent enfants.**

Die Steppdecke (Detail) aus gelben Brokaten, das mit bunten Seidenfaden bestrickt wurde und eine Szene des Spiels der Prinzen darstellt. Die Steppdecke (Detail) wurde für das Bett des Kaisers gemacht.

坤宁宫洞房中的龙凤喜床，床眉上挂有“日升月恒”匾，意为皇帝和皇后如初升的太阳、上弦的月亮

坤寧宮の新婚の部屋にあるベッド

The wedding bed with dragon and phoenix patterns in the bridal chamber in Kunning Hall

Le lit finement décoré de motifs de dragons et de phénix, dans la chambre nuptiale de l'empereur.

Das Bett des Kaisers mit geschnitzten Drachen und Phönix im Brautgemach innerhalb des Palastes der Irdischen Ruhe

**养性门前鎏金铜狮**

養性門前に立てた金ぱく付銅獅子

Gold-plated bronze lion in front of Yangxin Gate

**Le lion plaqué d'or, à la Porte de la Nourriture du Caractère.**

Die Vergoldenen Bronzelöwen vor dem Tor zur Bildung der Gefühle.

**乾清宫铜香炉雪景**
乾清宮にある銅香炉の雪景色

A snow scene of the bronze incense burner in front of the Qianging Hall

**Le brûle-parfum du Palais de la Pureté céleste, couvert de neige.**

Das Bronzeweihrauchgefäß im Palast der Himmlischen Reinheit nach dem Schneefall.

**海缸**　陈列于乾清门两侧，每只重两吨，鎏金200两。紫禁城内共有鎏金铜、铁海缸300多只，用以贮水防火。缸上黄金被八国联军刮走

**水がめ**　乾清宮の両側に並べてあり，一つの重さ2トン，金ぱく200両を費やした。紫禁城に鍍金銅がめと鉄がめが300余もあり，水をためて消防にあてた。

The big water vat　They are displayed on both sides of the Qianqing Gate. Each vat weighs two tons and 200 taels of gold is plated. There are more than 300 bronze and iron vats in the Forbidden City. They are used to store up water to extinguish a fire.

**La grande vasque, disposée à deux côtés de la Porte de la Pureté céleste. Elle pèse à elle seule deux tonnes, plaquée de 200 taels d'or. Dans la Cité interdite, il y a 300 vasques plaquées d'or en bronze ou en fer. Elles servaient à conserver de l'eau, pour éteindre un éventuel incendie.**

Die große Behälter stehen an den beiden Seiten des Tores der Himmlischen Reinheit. Jeder Behälter wiegt 2 000 kg und ist mit ca. 200 Taels von Gold vergoldet. In der Verbotenen Stadt gibt es insgesamt über 300 solche Bronze- und Eisen-Behälter zum Feuerschutz.

**坤宁门雪景**

坤寧門の雪

A snow scene of Kunning Gate

**Vue neigeuse de la Porte de la Tranquilité terrestre.**

Das Tor der Irdischen Ruhe nach dem Schneefall.

**云龙大石雕** 位于保和殿后，精工细雕的巨石“御路”。整块艾青石，长16.57米，宽3.07米，厚1.7米，重250吨。石雕周边刻连贯蕃草纹，下端是海水江崖，中间雕9条蟠龙游行流云之中，神态自然，矫健生动，是宫中最大的石雕

**雲竜大石彫** 保和殿の裏にあり，長さ16.57メートル，幅3.07メートル，厚さ1.7メートル，重さ250トンの一枚の青石に九匹のわたがまれる竜が雲中を行く姿を彫刻してある。

Step stone carved with patterns of clouds and dragons. It is located betweem the ascending steps behind Baohe Hall. It is 16.57 meters long, 3.07 meters wide and 1.7 meters thick and weighs 250 tons. It was carved with 9 dragons with a pearl in mouth separately which wind among patterns of floating clouds, very vigorous and lively.

**L'énorme dalle sculptée en bas-reliefs de dragons et de nuages. Elle mesure 16.57 m. de long, 1.7 m.de haut,sur 3.07 m. de large, et pèse 250 tonnes. Neuf dragons volent librement dans les nuages.**

Die Mamorplatte, die aus einem einzigen Block gehauen, 250 t schwer, 16, 57 m hoch, 3, 07 m breit, 1,7 m dick ist. Sie ist mit Drachen- und Wolkenmustern stilisiert.

**连理柏和铜鼎炉** 在御花园中有10余棵连理树，是由幼柏培育而成。此柏已有四百多年历史。我国古代很早就有连理树的故事，比喻爱情的坚贞，“在天愿做比翼鸟，在地愿做连理枝”是古诗名句。铜鼎炉，高4米，乾隆年造，图案雕刻技艺精湛

**恋仲のかしわと銅鼎香炉** 御苑にある。恋仲のかしわは二株の若いかしわが生長してゆく中にからまり合ったもの。銅鼎香炉は高さ4メートルで，図案の彫刻技巧は堂に入っている。乾隆時代の作。

Two cypresses grafted into one, bronze tropod In the imperial garden, two cypresses were grafted into one to show the idea of" in the sky we want to be birds flying wing to wing, and on the ground we' d like to be trees grafted into one" - the unswerving love between husband and wife.

**Dans le Jardin impérial. Les sapins jumeaux, faits du greffage de deux jeunes sapins. Le trépied en bronze, finement sculpté, fabriqué sous le règne Qian Long.**

Die Zwillings-Zypresse und der Bronze-Dreifuß im Kaiserlichen Garten. Die Zwillings-Zypresse war eigentlich okuliert. Der Bronze-Dreifuß ist 4 m hoch und in der Qianlong-Zeit hergestellt.

**天一门前鎏金铜獬豸** 龙头、独角、狮尾、龙爪，是我国古代传说中的神兽，是古代正义的一种标记。在天一门前陈设獬豸，寓意似能触邪佞，以示皇帝为明君

**天一門前にある金ぱく付銅獣** 竜の頭、角一つ、獅子の尾，竜の足からなっており，古代傳説の神獣であり，英明な皇帝を象徵するものである。

The gold-plated Xiezhi (an extreordinary animal in ancient legends) in front of Tianyi Gate

**L'Animal imaginaire (Xie Zhi), symbole de la justice.**

Das vergoldene ungewöhnliche Bronzetier vor dem Tianyimen(das Erste Tor unter dem Himmel).

御花园是紫禁城内最古老的花园，面积1万2千多平方米，曲池水榭间，分布着10余座亭台楼阁，图为万春亭雪景

御苑は紫禁城にあるもっとも古い御苑であり，面積一万二千平方メートルもある。

The snow scene of Wanchun pavilion in the imperial garden

**Vue neigeuse du Kiosque des Dix Mille Printemps, dans le Jardin impérial.**

Das Wanchunting(Pavillon des Ewigen Flühlings) im Kaiserlichen Garten nach dem Schneefall.

**堆秀山　御景亭**　位于御花园东北，是用太湖石迭砌的假山，峰顶筑亭，每年九月九日重阳节，帝后到此登高，观赏京城秋色

**堆秀山と御景亭**　御苑の北東にあり，太湖の石で築山し，頂上に亭を建てた。昔，毎年の重陽節に皇帝皇后がここに登って京城の景色を観賞することになっていた。

The Duixiu hill and the Yujing pavilion

The hill is actually a rockery piled up with Taihu rocks in the north eastern part of the imperial garden, and the pavilion is built on top of it. The emperor and the queen would come up to look into the distance to enjoy the autumn scenery. on 9th of the 9th lunar month every year.

**La Colline des Elégances entassées, une colline artificielle, surmontée du Kiosque du Paysage impérial, sur laquelle, l'empereur montait à la fête de double neuf, admirer le paysage automnal de la capitale.**

Der Duixiu-Berg (Berg der Zusammengestellten Schönheiten) befindet sich nordöstlich vom Kaiserlichen Garten. Er ist eine künstliche Felsenanlage, auf deren Spitze ein Yujingting(Pavillon der Kaiserlichen Landschaft) steht. Auf dem Chongyang-Fest (09. September des traditionellen chinesischen Kalenders)jedes Jahres ging die Kaiserin hierher und hinauf stieg, um das herrliche Bild der Metropole zu sehen.

**御花园千秋亭**

御苑の千秋亭

Qiangqiu pavilion in the imperial garden

**Le Kiosque des Mille automnes, dans le Jardin impérial.**

Das Qianqiuting (Pavillon Aller Ewigkeit) im Kaiserlichen Garten.

**西二长街夜景**

西二長街の夜景

Night view of the No. Two long alley to the six Western palaces.

**Vue nocturne de No. deux longue Ruelle à côté des Six Palais de L' ouest.**

Der Nächtliche Anblick von der Zweiten Langen Allee bei den sechs Westlichen Palästen

**乾清宫雪后**

乾清宮の雪晴れ

A snow scene of Qianqing Hall

**Vue neigeuse du Palais de la Pureté céleste**

Der Qianqinggong (Palast der Himmlischen Reinheit) nach dem Schneefall

远眺御花园
御苑の眺め
A distant of view of the Imperial Garden
**Vue lointaine du Jardin impérial.**
Ein Blick über den Kaiserlichen Garten.

**养心门**　養心門　Yangxin gate　**La Porte de la Nourriture de l'Esprit.**　Das Yangxinmen (Tor zur Bildung der Gefühle).

**养心殿正间**　清朝皇帝在此处理政务、召见大臣和引见官员。"中正仁和"匾，为雍正皇帝题写，殿正中是皇帝宝座，座后围屏上录刻乾隆题诗，天花板正中是浑金蟠龙藻井

**養心殿の正間**　清朝では皇帝がここで政務を処理したり大臣を召見したりしていたところ。

The major room of Yangxin Hall　The emperors in Qing dynasty called in his ministers and read memorials to the throne here. The horizontal inscribed board "Zhong Zheng Ren He" was written by Emperor Yong zheng. In the centre of the ceiling is the caisson of unrefined-gold dragons.On the screen behind the throne is inscribed with peoms by emperor Qianlong.

**La chambre principale du Palais de la Nourriture de l'Esprit, servait de cabinet de travail et de salle d'audience.**

Die Yangxindian (Halle zur Bildung der Gefühle), wo der Kaiser den Ministern die Audienzen gab und die Staatsgeschäfte erledigte.

中正仁和
保泰常欽

**雨华阁**　阁内供奉西天梵像和欢喜佛像，是喇嘛念经祈祝之所

**雨華閣**　ラマが皇帝のためにお経を読んで祈禱するところ。

Yuhua Cabinet　It was the place where Tibetan Lamas incanted texts blessing the emperor.

**Le Pavillon de la Pluie des fleurs, dans lequel les lamas psalmodiaient des prières pour l'empereur.**

Das Yuhuage (Pavillon der Regenblumen), wo der Lame für den Kaiser betete.

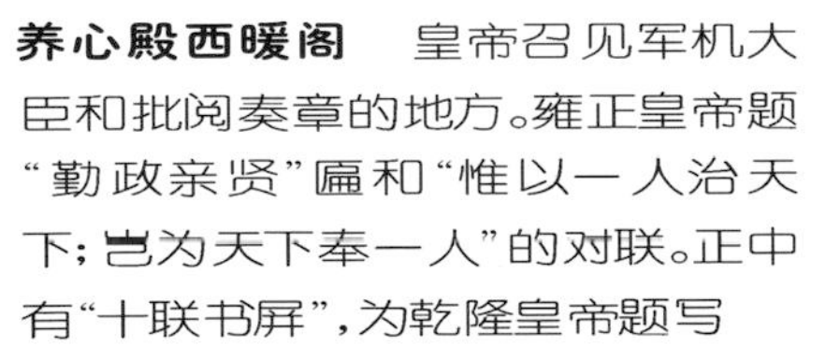

**养心殿西暖阁**　皇帝召见军机大臣和批阅奏章的地方。雍正皇帝题“勤政亲贤”匾和“惟以一人治天下；岂为天下奉一人”的对联。正中有“十联书屏”，为乾隆皇帝题写

**養心殿の西暖閣**　皇帝が軍機大臣を召見したり上奏文を閲覧したりしていたところ。

Western cabinet of Yangxin Hall

It was the place where the emperor called in his cabinet ministers and read memorials.

**La chambre d'ouest dans le Palais de la Nourriture de l'Esprit. L'empereur y recevait en audience les fonctionnaires supérieurs et annotait les documents officiels.**

Das West-Gemach der Halle zur Bildung der Gefühle, wohin der Kaiser die Generäle zur Unterredung zitierte, und wo er die Thronberichte las.

**慈禧皇太后画像**

慈禧皇太后の肖像画

The portrait of Cixi

**Le portrait de l'impératrice douairière Ci Xi.**

Das Porträt der Kaiserin Cixi.

**养心殿东暖阁**　清时，每年正月初一夜12时15分，皇帝身着朝服坐宝座上，书写“天下太平”、“福寿长春”之语，以示一年吉祥如意，称为开笔之典。慈安、慈禧曾于此垂帘听政，统治中国达48年之久

**養心殿の東暖閣**　慈安と慈禧の両皇太后がここで「垂簾聴政」(簾を垂れて政事を聞く)を通じて實権を握った。

Eastern cabinet of Yangxin Hall
Cian and Cixi held court from behind a screen here.

**La chambre d'est dans le Palais de la Nourriture de l'Esprit, les impératrices Ci An et Ci Xi y "assistalent au Conseil derrière un rideau".**

Das Ost-Gemach, wo die Kaiserinnen Ci'an und Cixi die Staatsangelegenheiten "hinter dem Vorhang" erledigten.

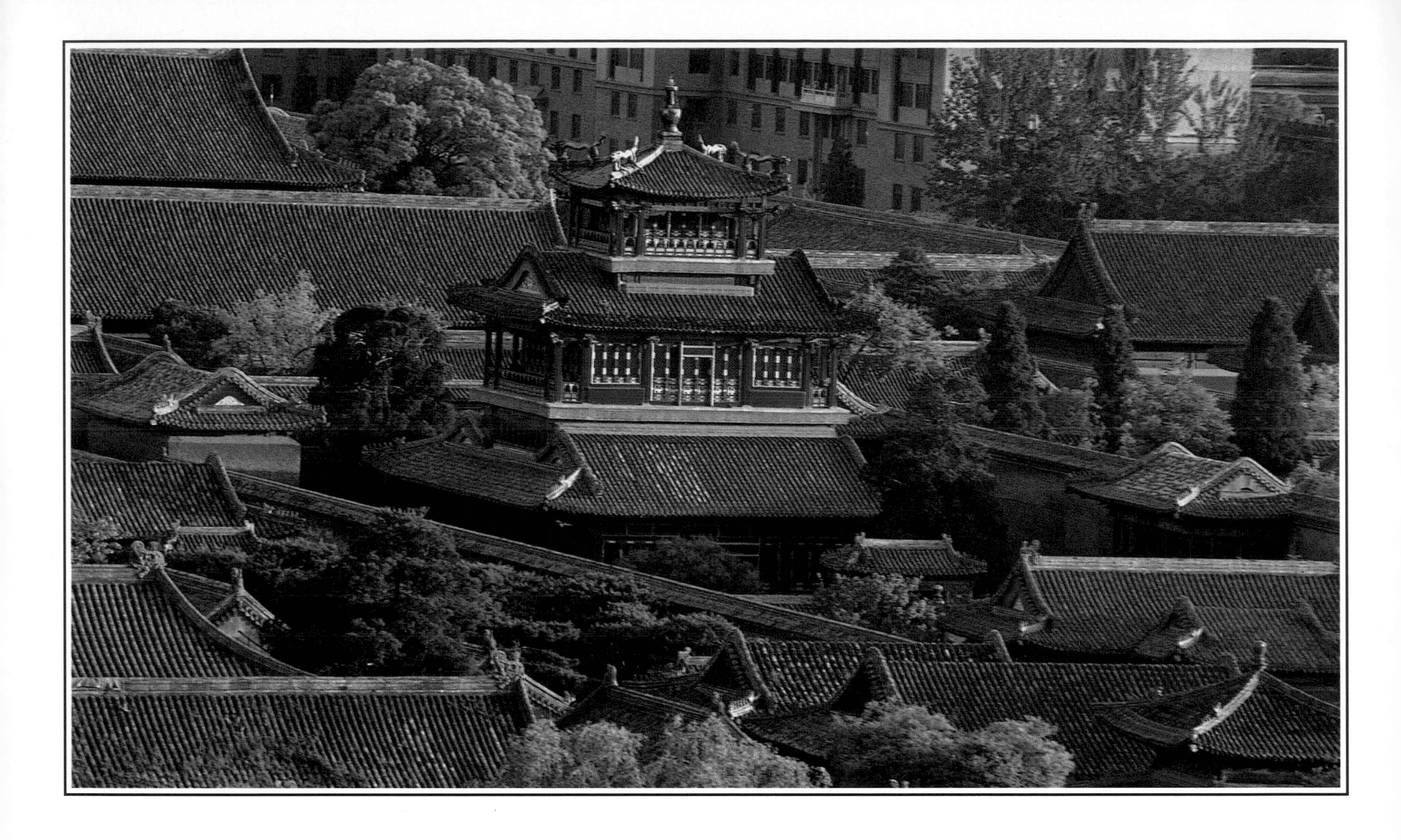

**远眺雨华阁** 阁为三层，第二、第三层腰檐分别饰蓝绿琉璃瓦，阁顶为四角攒尖式覆以鎏金铜瓦，4条鎏金行龙腾跃在阁脊之上，精美别致

雨華閣の眺め

A distant view of Yuhua Cabinet

**Vue lointaine du Pavillon de la Pluie des fleurs.**

Blick über Yuhuage (Pavillon der Regenblumen).

**养心殿后殿皇帝寝宫东间**　皇帝龙床上方悬“又日新”匾，东壁挂珐琅对联一副，联曰：“六合精宝调画烛；万年景命运珠躔”

**養心殿寢宮の東の間**　皇帝用のベットと調度品。

The eastern room of the bedroom in Yangxin Hall　The emperor's bed and other furnishings.

**La chambre à coucher à l'est du Palais de la Nourriture de l'Esprit. Le lit de dragon et l'ameublement de la chambre.**

Das Ost-Brautgemach in der Halle zur Bildung der Gefühle, wo das Bett des Kaisers usw. standen.

**太极殿**　明朝名未央宫，是后妃居住处

**太極殿**　皇后皇妃の住所。明朝は未央宮と呼ばれた。

Taiji Hall　It was Weiyang Hall in Ming dynasty. It was the place where the imperial consorts lived.

**Le Palais du Faîte suprême, nommé "Wei Yang" sous les Ming, où vivaient l'impératrice et les concubines.**

Die Taijidian (Halle der Entstehung Aller Dinge), in der Ming-Zeit auch Weiyanggong (Palast der Unendlichkeit) genannt, ist eine Stätte, wo die Konkubinen wohnten

**储秀宫前的铜龙戏珠**

儲秀宮の銅竜

The bronze dragon in Chuxiu Hall

**Le dragon en bronze dans le Palais des Elégances accumulées.**

Der Bronzedrache im Chuxiugong (Palast zur Aufspeicherung der Schönheiten).

**储秀宫**　后妃寝宫，慈禧曾长时间居住。1884年慈禧在此操办她的五十寿辰，耗银63万两，如今仍保持慈禧做寿时的原状

**儲秀宮**　皇后皇妃の寝宮で，慈禧皇太后が長年ここに住んでいたが1884年ここで自分の五十歳誕生祝の企画を取りしきった。

Chuxiu Hall　It was the residence of imperial consorts in Ming and Qing dynasties. Cixi had lived here for a long time. More than 600,000 taels of silver were used when she celebrated her 50th birthday here in 1884

**Le Palais des Elégances accumulées, palais d'habitation des impératrices et des concubines. Ci Xi logeait lontemps ici et y célébra son anniversaire de 50 ans en 1884.**

Der Palast zur Aufspeicherung der Schünheiten, wo die Konkubinen wohnten. Die Kaiserin Cixi wohnte hier auch lange Zeit. Im Jahre 1884 hat sie hier ihren 50. Geburtstag gefeiert.

**钟表馆** 共展出我国和英、法、瑞士等国制作的珍贵钟表数百件，我国钟表多以黄金、珠玉、宝石为饰，精美绚丽，外形多摹拟楼阁宝塔；欧洲钟表多摹拟西洋建筑、车马人物等，风格各异。图为展厅一角

**時計館** 中国・イギリス・フランス・スイス等の珍しい時計を数百件展示している。写真はその一角。

Exhibition Hall of clocks and watches

Several hundreds of clocks and watches made in England, France, Switzerland and China are exhibited here.Part of the exhibits were made in Suzhou and Guangzhou, China, While the remaining exhibits were presented by foreign envoys or merchants. Part of exhibition is shown in the figure.

**Un coin de l'Exposition des horloges. Dans la salle d'Exposition, sont présentées quelques centaines des horloges, de fabrication chinoise, anglaise, française, ou suisse.**

Die Ausstellungshalle für Uhren, wo mehrere Hunderte von wertvollen Uhren aus China, England, Frankreich, der Schweiz usw. ausgestellt werden. Bild: Eine Ecke der Ausstellung.

**楼式跑人转花乐钟**

人形と花の回る楼閣形音楽時計

When the clock strikes the hour, a man would go upstares. The flower turn around and a band would begin to play

**L'horloge en forme de bâtiment avec coureur et fleurs**.

Die hausförmige Uhr, bei deren Schlag eine Menschenfigur läuft und Musik ertönt.

**带星球钟**

天球で飾った置時計

Clock with planet

L' Horloge en balle avec les étoiles

Die Uhr mit dem Himmelskörper

**翡翠盆景** 长年青绿，显示欣欣向荣，生意盎然，寓意节节生长，万年长青

ひすいと玉で作った「どんどん成長し，永久に青々と」の意を含む盆景

Potted landscape of evergreen made with jadeites and jades

**Un japonica en émeraude, paysage en miniature.**

Das aus Jadeit und Jade bestehende Bonsai, das den ständigen Wachstum und den ewigen Frühling versinnbildlichte.

**镶嵌宝石的金佛塔**　是保存和供奉先辈头发的，以表示哀思和孝道。清宫中有金塔10座，其中乾隆为收存其母生前梳落的头发而制做的一座是最大的，塔高1米多，共用黄金215市斤

**宝石をはめた金仏塔**　先祖の髪の毛を安置し祭るところである。

Gold Buddha Pagoda inlaid with gems

**La pagode en or, incrustée des pierres précieuses.**

Der mit dem Edelstein versehene Goldturm.

**金嵌珠天球仪**　清朝乾隆年间宫中制造，以黄金做球体，用珍珠镶嵌星座，球体上有300个星座，3240颗星

清の乾隆時代に宮中で造った宝石星をはめた天球儀。

A gold celestial globe inlaid with pearls as constellations, produced by Office of Productions in the palace during the reign of Qianlong

**Le globe céleste incrusté d'or et de perles, fabriqué sous le régne Qian Long par l'atelier impérial.**

Der in der Qianlong-Zeit hergestellte, mit Gold- und Jade intarsien versehene Himmelsglobus.

**水晶觥（酒器）** “觥”是古代酒器，水晶觥是用珍贵的水晶制成

水晶さかずぎ

Crystal goblet

**La grande coupe en cristal.**

Das Gong ( das antike Weingefäß aus Horn ).

**金盆金树珍珠玛瑙制作的盆景**

金盆に金の樹木と真珠・めのうで作った盆景

Potted landscape made with gold flower pot, gold tree, coral and jade

**Le paysage en miniature fait de la perle naturelle et de L'agate**

Das aus Korallen und Jade bestehende Bonsai.

**景山俯瞰紫禁城**

景山から見下ろす紫禁城

Looking at the Forbidden City from Jingshan

**La Colline de Charbon domine toute la Cité interdite.**

Blick von Jingshan hinab auf die Verbotene Stadt.

故宫博物院

**皇帝宝玺**

皇帝の御璽

The imperial seal of the emperor

**Le sceau impérial.**

Das kaiserliche Jadesiegel.

**皇帝用的笔墨砚等**

皇帝の使った筆·墨·硯など

The writing utensils used by the emperor

**Les pinceaux, l'encre et l'encrier de l'empereur.**

Der Pinsel, die Tusche und der Tuschstein des Kaisers.

**清朝乾隆皇帝朝服像**

朝服着用の清の乾隆帝

A portrait Emperor Qianlong in court costumes, Qing dynasty

L'empereur Qian Long des Qing, en costume impérial.

Das Porträt des Kaisers Qianlong im Hofkleid.

**皇极殿**　明代称仁寿宫，清高宗乾隆皇帝做太上皇时在前殿受贺，遂改名皇极殿

**皇極殿**　明の時代は仁寿宫と呼ばれた。

Huangji Hall

**Le Palais de Céleste Impériale.**

Die Huangjidian (Halle der Allerhöchsten Macht).

**三希堂**　乾隆收藏稀世珍宝晋代书法家王羲之《快雪时晴帖》、王献之《中秋帖》和王珣《伯远帖》于养心殿西间，并题匾“三希堂”

**三希堂**　養心殿の西間で，乾隆帝が晋の書法家王羲之·王献之·王珣の名帖を收蔵したところ。横額と対联は乾隆帝の真筆による。

Sanxi Hall　Emperor Qianlong kept the calligraphy of Wang Xi Zhi, Wang Xian Zhi and Wang Xun in the western room of Yangxin Hall and wrote a horizontal board.

**Le Pavillon de trois Trésors. Les estampages et les copies des chefs-d'oeuvre de Wang Xi zhi, Wang Xian Zhi et Wang Xun, calligraphes sous Jin y sont exposés. Le nom du pavillon écrit sur le panneau, est issu du manuscrit de l'empereur Qian Long.**

Die Sanxitang(Halle zum Gedenken der berühmten Kalligraphen), wo der Kaiser Qianlong die wertvollen Kalligraphien von bekannten historischen Persönlichkeiten aus der Jin-Zeit, wie Wang Xizhi, Wang Xianzhi und Wang Xun, aufbewahren ließ.

**九龙壁**　是皇极门照壁，五彩琉璃烧成，高3.5米，长29.4米，中间主刻9条身躯矫健巨龙，嬉戏于万变的澎湃海浪之中

**九竜壁**　皇極門の前に色彩琉璃れんがで築かれた高さ3.5メートル，長さ29.4メートルの目隠し塀で，頑丈な九匹の竜が変化に富む波濤の中で戯れている。

Nine-Dragon Screen　It is a screen wall facing the Huangji Gate, made with coloured glaze. It is 3.5meters high, 29.4 meters long, and there are nine dragons dancing in surging waves.

**Le Mur aux neuf Dragons, magnifique écran devant la Porte de Céleste Impériale, mesurant 29.4 m. de long sur 3.5 m. de haut, en briques vernissées de cinq couleurs, représentant neuf dragons jouant au milieu des vagues.**

Die Neun-Drachen-Mauer aus der Farbglasur ist 3,5 m hoch und 29,4 m lang. Die Reliefs stellen neun Drachen im Wolkenmeer dar, die um einen Perlenball kämpfen.

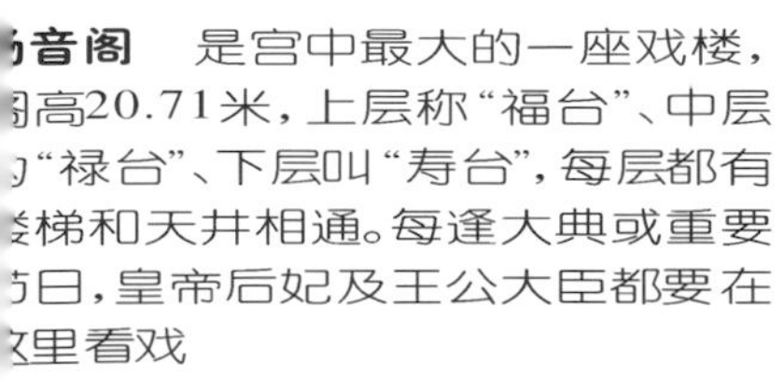

**音阁**　是宫中最大的一座戏楼，阁高20.71米，上层称“福台”、中层“禄台”、下层叫“寿台”，每层都有梯和天井相通。每逢大典或重要日，皇帝后妃及王公大臣都要在里看戏

**音閣**　宮中にある一番大きい劇。

hangyin Cabinet--the large stage

**e grand théâtre, Pavillon des Sons res.**

as große Theater – Der Changyinge avillon der ausgelassenen Musik).

**景祺阁和珍妃井**　珍妃是光绪皇帝的宠妃，貌美贤慧，喜诗善画。珍妃支持光绪维新变法，被慈禧打入冷宫—景祺阁。1900年，八国联军侵占北京，慈禧逃往西安前，令太监将珍妃推入此井淹死，故称珍妃井

**景祺閣と珍妃井**　珍妃は光緒帝の寵愛の妃で,器量がよく,詩と絵に長じる。光緒帝の維新を支持したため,慈禧皇太后によって景琪閣に軟禁され,1900年八ヶ国連合軍が北京に侵入し,皇太后が西安へ逃亡する前に宦官に命じて珍妃を井戸の中につき落して殺した。

Zhenfei Well　Zhenfei was Emperor Guangxu's favorite consort, beautiful and virtuouse, good at poem-writing and painting.She was behind the emperor when he began the reform movement of 1898, so she was consigned to limbo-Jingqi Cabinet. In 1900, the Enght-power Allied Forces came into Beijing. Before Cixi ran away to Xian, she had Zhenfei thrown into this well That's why the well has this name.

**Le Puits de la concubine Perle. La jeune femme belle et intelligente était la favorite de l'empereur Guang Xu. A cause de son soutien au Mouvement de Réformation, elle fut chassée par Ci Xi dans un palais froid. En 1900, lorsque l'Armée coalisée des Huit Puissances envahit Beijing, un eunuque la jeta dans ce puits, sous l'ordre de Ci Xi.**

Der Zhenfei-Brunnen, der mit dem Namen einer beliebten Konkubine von dem Kaiser Guangxu benannt ist. Zhenfei war sehr hübsch und konnte malen und Gedichte schreiben. Sie unterstützte den Kaiser bei der Reform. So wurde sie von der Kaiserin Cixi in dem Jingqige (Pavillon der Besten Günstigkeit) eingekerkert. Im Jahre 1900 wurde Beijing von den Verbündeten Streitkräften der acht Mächte besitzt. Bevor Cixi nach Xi'an floh, ließ sie Zhenfei in diesem Brunnen hinabwerfen.

**角楼**　紫禁城四角各一座，结构巧妙，形式优美，传称9梁18柱72条脊之仙楼

**隅やぐら**　紫禁城の四つの隅に建てたやぐらで，構造が精巧で美しい。九つのうつばり，十八の柱，それに七十二の棟からなるすばらしいやぐらであると伝えられている。

Corner Tower　There is one in each corner of the Forbidden City. The structure is unique and the form beautiful. It was said to be a tower with nine roof beams, 18 pillars and 72 ridgepoles made by immortals.

**Le Pavillon d'angle, s'éléve chacun aux quatre coins de la Cité interdite, au style original. On disait qu'il y avait à chacun, 9 poutres, 18 colonnes, 72 arêtes. Un vrai pavillon pour les fées.**

Der Wachturm. An den vier Ecken der Verbotenen Stadt stehen vier hohe Wachtürme, die eine einzigartige Konstruktion und ein schönes Aussehen haben.

**后宫内廷俯瞰**

俯瞰する内廷と後宮

Looking down at the rear halls and inner court

**Vue d'ensemble de la Cour intérieure.**

Blick hinab auf die Neiting (Innere Gemächer) der Hinteren Paläste.

**神武门雪** 神武门是紫禁城北门，城楼坐落在高1０米的城墙上，重檐庑殿，楼下有白石雕栏围绕，城墙开三券门，门额有郭沫若手书“故宫博物院”石匾

**神武門の雪** 神武門は紫禁城の北門で，高さ10メートルの城壁の上に建てられ，周りに白石の欄干で囲まれていた。城壁に三つの門があり、郭沫若氏の書による「故宮博物院」の石横額がある。

Shenwu Gate after snow Shenwu Gate is the north gate of the Forbidden City. The gate tower stands on the city wall that is 10 meters high. It has a double-eaved roof and a stone railing around it. The city wall has three gates above which there is a horizontal board inscribed with Gou Mo Ruo's handwriting "the Palace Musumn" .The snow scene is especially magnificent.

**La Porte du Génie Militaire. La porte est couronnée par un pavillon à triple toiture en ailes faisan, percée dans le mur N. de la Cité pourpre interdite. Le panneau est écrit par M. Guo Mo ruo:"Musée du Palais Impérial".**

Das Shenwumen (Tor der Göttlichen Stärke) nach dem Schneefall. Das Tor der Göttlichen Stärke ist ein Hintertor des kaiserpalastes. Der Turm steht auf der 10 m hohen Mauer. darunter gibt es das Steingeländer und drei Bogenförmige Tore. Über dem Haupttor ist eine von Guo Moruo geschriebene Inschrift "Das Palastmuseum".

**紫禁城角楼与景山万春亭**
紫禁城の隅やぐらと景山の万春亭

The corner tower in the Forbidden City and the Wanchun pavilion in jingshan Hill

**Le Pavillon de l'angle de la Cité interdite et le Pavillon de Dix Mille Printemps au sommet de la Colline de Charbon.**

Der Eckturm der Verbotenen Stadt und der Wanchunting (Pavillon des Ewigen Frühlings).

**神武门和护城河**
神武門と護城河

Shenwu Gate and the city moat

**La Porte du Génie Militaire et les Douves de protection.**

Das Shenwumen (Tor der Göttlichen Stärke) und der Stadtgraben.

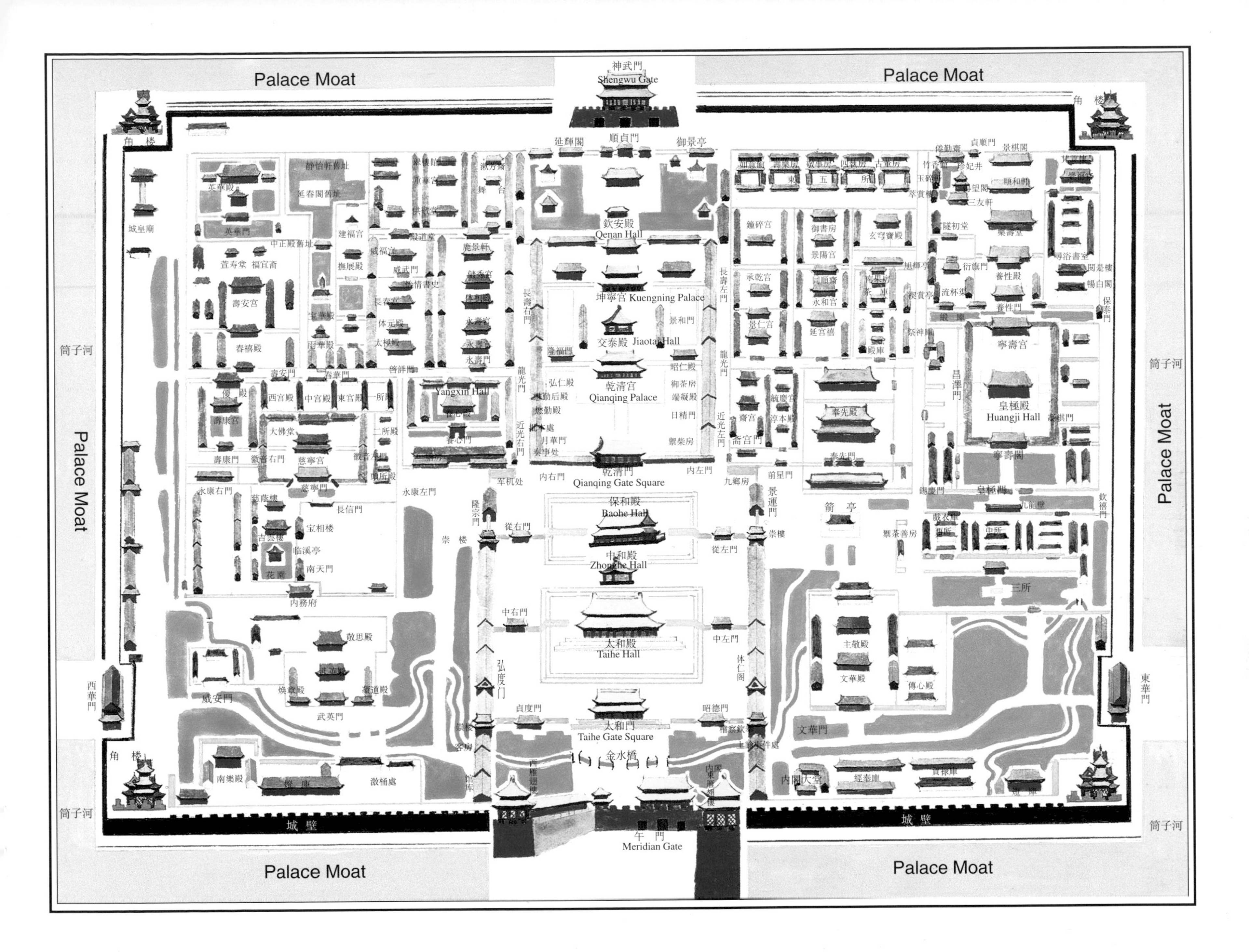

紫禁城平面図

Plane figure of the Forbidden City

**Le plan de la Cité interdite.**

Der Plan des Kaiserpalastes.